arc-en-ciel

cascade

Pour Nelson,
Victoria et Mildred.

Collection dirigée par Caroline Westberg

ISBN 2-7002-2902-9
ISSN 1142-8252

Princesse Vampirette

Texte d'Yves-Marie Clément
Illustrations de Morgan

T 12146

RAGEOT • ÉDITEUR

Le piège

Aujourd'hui chez les Tatou, c'est le jour du grand ménage. Les parents envoient leurs enfants jouer dehors pour avoir la paix.

Cela met Tatou junior de très mauvaise humeur.

– D'abord, j'ai pas envie de sortir ! s'écrie-t-il en risquant la pointe du museau hors de son trou.

– Dépêche-toi d'aller prendre l'air ! rouspète monsieur Tatou. Mais ne t'éloigne pas trop !

Tatou enfile sa veste d'écailles en bougonnant. Il se dirige vers la maison de Biche, sa voisine.

– Et ne t'approche pas du royaume de Vampirie ! ajoute madame Tatou.

Depuis que l'horrible Terrificator a jeté le bon roi Vampirou III au cachot et lui a volé son trône, les chauves-souris de Vampirie sèment la terreur dans la jungle.

Biche n'a peur de rien, elle a très envie de se promener du côté du royaume de Vampirie. Tatou, lui, a peur de tout, mais il admire Biche qui est sa meilleure amie, alors il la suit. Tout en trottinant, elle lui raconte des histoires terribles :

– C'est l'histoire de vampires féroces qui ont dévoré une famille entière de tatous...

Biche n'a pas le temps de poursuivre. Soudain, les deux amis sont happés dans les airs !

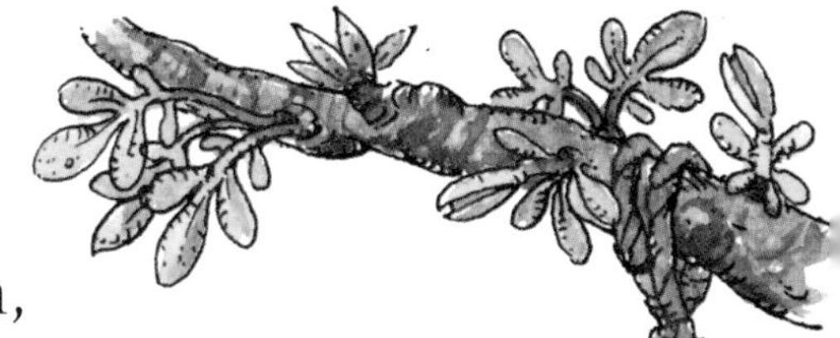

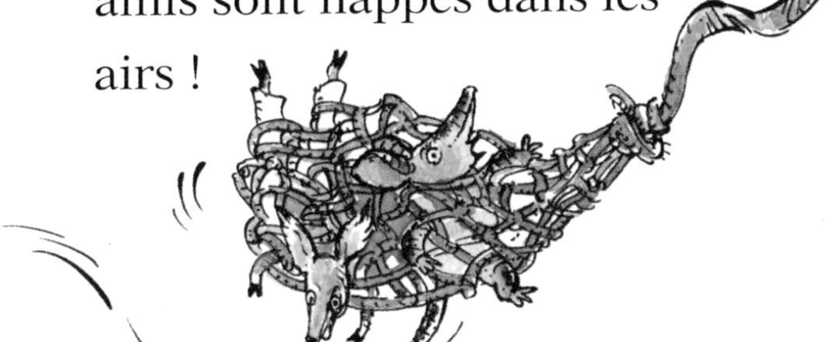

Ils se retrouvent prisonniers d'un filet qui se balance sous la branche d'un arbre.

Quel monstre cruel les a donc capturés ? Jaguar ? Ou son cousin Puma ? À moins qu'il ne s'agisse d'Anaconda ?

Les vampires

Malgré leurs efforts, Tatou et Biche ne parviennent pas à se libérer. Blottis l'un contre l'autre, ils tremblent d'effroi.

La nuit tombe quand une voix grinçante s'écrie :

On n'est pas des rigolos,
Partout on sème la terreur !

Une autre renchérit :

Même que rien ne nous fait peur,
Nous les méchants gardes royaux !

Les gardes s'approchent de Biche et Tatou. Ils ont des ailes immenses, un regard cruel et menaçant, de grandes oreilles, des dents bien aiguisées et un rire à vous glacer le sang :
Hiii ! Hiii ! Hiii !

Tatou retient un hurlement.

Biche s'exclame :

– Gladiator et Soldator, les gardes de l'infâme Terrificator !

– Tu les connais ? bredouille Tatou.

– On en parle partout dans la jungle.

Les deux gardes vampires saisissent leurs prisonniers puis les emmènent dans la grotte royale.

– Tiens, voilà de la chair fraîche ! fait une toute petite voix.

Soldator se retourne en montrant les dents.

– File, Vampirette ! ordonne-t-il.

– Tu n'as pas le droit de traîner ici ! gronde Gladiator.

La jeune vampire s'enfuit en bougonnant.

Prisonniers !

Tatou et Biche sont conduits à travers des couloirs glacés jusque dans l'immense garde-manger royal.

Clic ! Clac ! La clef tourne dans la serrure. Les voilà enfermés à l'intérieur. Tatou se laisse tomber sur une pierre.

– Retire ton gros derrière de là ! crie une voix.

Tatou fait un bond. Il s'est assis sur le dos de Matamata, la tortue. Elle n'est pas seule, il y a aussi Baboune, le singe rouge, et Pakira, le pécari.

– Tiens, s'étonne ce dernier. De nouveaux amuse-gueule !

Baboune tousse pour s'éclaircir la voix.

– Je préfère vous avertir, vous allez vivre votre pire cauchemar.

– Qu'est-ce... qu'est-ce que tu veux dire ? s'inquiète Tatou.

– Les vampires vont vous gaver de bonne nourriture, explique Pakira. Et quand vous serez gras à point, ils boiront votre sang !

– Et après ? s'inquiète Tatou en avalant sa salive.

– Après, ils vous jetteront dans le marécage de Lamorlente où vous serez dévorés par les caïmans...

– Mais vous, ils ne vous ont pas encore vampirisés ? s'étonne Biche.

– On n'est pas bêtes, lui répond Pakira en se posant la patte sur l'estomac. Nous, on fait la grève de la faim !

Tatou redresse la tête. Une bonne odeur lui chatouille les narines.

Mais tout à coup, une ombre terrifiante s'arrête devant la grille du garde-manger.

Tatou se recroqueville dans son coin. Biche frissonne.

– Ne vous inquiétez pas, explique Matamata. C'est Réfrigérator, notre geôlier. Il nous apporte un déjeuner que nous ne mangerons pas !

À table !

Réfrigérator est un grand et gros vampire qui a l'air très... gentil !

Il dépose un immense plateau de nourriture sur l'énorme table du garde-manger royal.

Il est suivi de Vampirette, sa fille, qui présente le menu aux prisonniers :

– Hum, ça a l'air bon ! grogne Tatou.

Son ventre produit d'affreux gargouillis : « Couuik ! Griouik ! Briouiipp ! Shkroouuiiik ! »

– Pas touche, si tu veux rester en vie ! lui conseille Biche.

Mais Réfrigérator ne partage pas son avis.

– Si vous ne mangez pas, dit-il, vous allez maigrir. Terrificator refusera de vous vampiriser et moi, je serai renvoyé !

Il toussote et ajoute :

– Avant que le malheur ne s'abatte sur notre pays, j'étais le bon roi Vampirou III. Quand Terrificator a pris le pouvoir, il m'a relégué aux cuisines. Maintenant, je dois faire de mon mieux pour le servir…

Vampirette tire sur les ailes de son père.

– Papa, je peux jouer avec les prisonniers ?

– Non, ma chérie. On ne joue pas avec la nourriture.

– Oh, on n'a jamais le droit de rien faire, ici !

Réfrigérator passe la main entre les oreilles de sa fille.

– Bon, d'accord, cinq minutes. Mais pas une de plus. C'est le jour de la visite de Terrificator ! Il ne faut pas qu'il te trouve ici.

– C'est promis, papa chéri !

La visite de Terrificator

Dès que Vampirou a le dos tourné, Vampirette adresse aux prisonniers une grimace à faire pâlir un caïman noir.

– Alors, la bouffe sur pattes, je vous effraie avec mes dents de vampire ?

Tatou manque de s'évanouir.

– Ah ! Quelle horrible horreur ! s'exclame-t-il.

Mais Biche parvient à garder son sang-froid.

– Même pas peur ! lance-t-elle à Vampirette en secouant la tête.

Vampirette hausse les ailes et soupire.

– On ne peut même plus rigoler…

Elle renifle et ajoute :

– C'était quand même mieux avant, ça c'est sûr !

– Avant quoi ? lui demande Biche.

– Avant que l'abominable Terrificator renverse mon père pour prendre le pouvoir !

Tatou la regarde avec des yeux tout ronds.

– Et pourquoi donc ?

Vampirette écarte les ailes et lui explique :

– On pouvait se promener librement dans la jungle, sortir le soir, dormir à la belle étoile. Surtout, on pouvait s'amuser avec qui on voulait. Maintenant, tout est interdit !

– Révoltez-vous ! suggère Tatou.

– Facile à dire, gémit Vampirette. Ceux qui ont essayé ont été jetés en prison. Figure-toi qu'il y a quatre cent trente-deux chauves-souris dans le cachot royal. Tous mes amis… et même mes ennemis !

– Dis à ton père de nous laisser sortir et nous les libérerons ! insiste Biche.

– Je vais essayer, mais je ne vous promets rien !

Et Vampirette disparaît dans une pirouette.

Soudain, les voix grinçantes de Gladiator et de Soldator résonnent dans le couloir :

On est des affreux jojos,
On fait hurler de peur !
On n'a vraiment pas d'cœur,
Nous les méchants gardes royaux
Du plus grand, du plus beau,
De l'unique Terrificator !
On est des affreux jojos,
On fait hurler de peur !

Les prisonniers se font tout petits et ils baissent les yeux.

Terrificator entre, suivi de près par Réfrigérator.

Le tyran paraît immense. Il porte une veste noire couverte de médailles ainsi qu'une casquette noire.

Son regard cruel croise celui de Biche et de Tatou.

– Foie de cancrelat et bave de limace ! Ces deux-là m'ont l'air appétissants ! Tu as intérêt à les engraisser, Réfrigérator, si tu ne veux pas finir dans le ventre d'un caïman !

L'évasion

Quand Terrificator sort du garde-manger, accompagné de ses gardes et de Réfrigérator, Tatou se met à pleurer :

– Je n'aurais jamais dû sortir de mon trou !

– Ça ne sert à rien de se lamenter ! s'exclame Biche. C'est décidé, on va s'évader.

– Impossible ! lui répondent en chœur Matamata, Pakira et Baboune. On est bien enfermés !

Mais à midi, quand Réfrigérator apporte le repas, il donne à Biche les clés qui ouvrent le garde-manger royal et le cachot.

– Sortez et libérez les vampires prisonniers, chuchote-t-il. Ensuite, enfuyez-vous !

– Merci, Réfrigérator ! s'exclament les détenus.

Biche et Tatou décident de s'évader dès que Terrificator sera endormi.

Au petit matin, ils s'approchent sans bruit du cachot pour libérer les autres prisonniers.

Gladiator et Soldator sont de garde. Ils sont en train de jouer à la bataille autour d'un feu.

À ce moment, le ventre de Tatou se met à gargouiller :

– Griouik ! Brouiip !

Alertés par ces bruits, Gladiator et Soldator lèvent la tête.

– Les déjeuners fichent le camp ! s'écrie Gladiator.

Les gardes se précipitent sur tous les évadés qui se battent courageusement. Baboune lance Matamata sur Gladiator. Tatou donne des coups de patte à Soldator pendant que Biche lui mord les ailes et que Pakira lui tire les oreilles.

Réfrigérator et Vampirette assistent à la scène, sans réagir.

Les gardes sont les plus forts. Et les rebelles ne tardent pas à se retrouver à nouveau enfermés.

Clic ! Clac !

Soldator et Gladiator chantent en chœur :

On est d'affreux zigotos !
Si vous pensiez vous évader,
Vous vous mettiez le doigt dans l'nez !
On est les méchants gardes royaux !

Alerté par les cris de ses gardes, Terrificator s'approche. Il a l'air très en colère.

Gladiator lui explique d'une voix tremblante :

– Les prisonniers ont tenté de fuir le royal garde-manger, votre royale majesté !

Les yeux de Terrificator lancent des flammes. Ses canines blanches luisent dans le noir.

– Dent de requin et morve de vermissette ! Vous finirez dès demain dans mon assiette ! crie-t-il aux prisonniers.

Puis Terrificator se tourne vers Réfrigérator, qui tremble de la tête aux pattes.

– Et toi, cervelle de rat et bave d'escargot, direction le cachot !

Réfrigérator est emmené par les gardes royaux sous le regard désespéré de Vampirette.

À la casserole !

Le lendemain, alors qu'une aube blafarde se lève sur le garde-manger royal, Vampirette rend visite aux prisonniers.

– Il faut libérer mon père ! s'écrie-t-elle.

Tatou grogne :

– Encore une bagarre !

Mais Biche a une autre idée :

– J'ai gardé les clés du cachot et du garde-manger.

Elle s'empresse d'ouvrir la porte. Les prisonniers suivent Vampirette jusqu'au cachot. Ils libèrent Vampirou et les vampires emprisonnés qui se cachent dans les recoins de la grotte.

Il est minuit. L'affreux Terrificator a bien l'intention de se remplir l'estomac.

– Sang de ragondin et veine de fourmilier, au garde-manger !

Il se fait accompagner par Gladiator et par Soldator dont les grosses voix résonnent dans la grotte royale :

On est tout sauf des rigolos !
On est plus dangereux que la rougeole !
Les prisonniers à la casserole !
On est les méchants gardes royaux !

Ils traversent de longs couloirs sombres et humides en faisant claquer leurs bottes. Quand ils arrivent au garde-manger, ils sont surpris, il est archi-vide !

Terrificator entre dans une rage folle.

– Pointe de canine et jus de cervelet ! Où est passé mon déjeuner ?

C'est alors qu'une armée de vampires déterminés s'élance de tous les recoins de la grotte et se dresse devant lui.

À sa tête se trouvent Réfrigérator, Biche, Tatou et leurs amis.

Gladiator et Soldator se font minuscules. Ils murmurent :

On n'est que des voyous !
On prend la poudre d'escampette !
Sinon ça va être notre fête !
Et vive notre bon roi Vampirou !

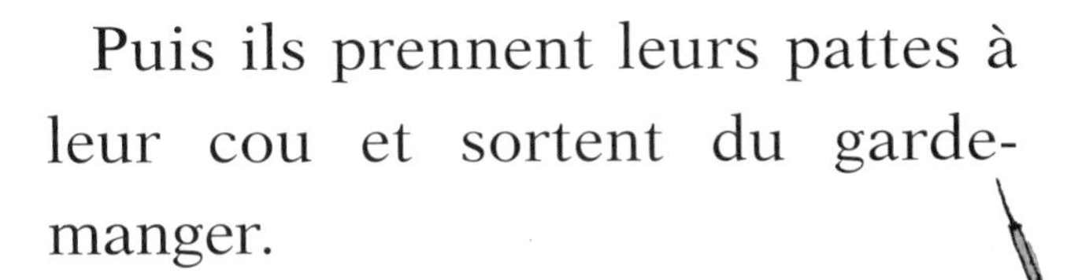

Puis ils prennent leurs pattes à leur cou et sortent du garde-manger.

Et les deux gardes déloyaux s'envolent très loin du royaume de Vampirie tandis que l'on jette l'affreux Terrificator au fond du cachot.

Vive Vampirou !

Ce soir, chez les vampires, c'est la fête !

Le sang coule à flots !

À la fin d'un très long discours, Réfrigérator, qui est à nouveau le bon roi Vampirou III, élève Vampirette au rang de première princesse de Vampirie.

Il félicite aussi les courageux prisonniers qui ont délivré le pays de l'affreux Terrificator.

Biche, Tatou, Pakira, Matamata et Baboune reçoivent la médaille de « grand chevalier de la Royale Canine ».

Les cinq compagnons sont très fiers de ce qu'ils ont fait.

Mais, quand sonne minuit, d'inquiétants regards se tournent vers eux. Des dents commencent à grincer...

La princesse Vampirette se précipite vers ses nouveaux amis.

– Retournez chez vous, leur conseille-t-elle. Et à l'avenir, ne vous approchez pas trop du royaume de Vampirie !

– Pourquoi ? s'étonnent en chœur Biche et Tatou.

– Parce qu'ici, on vous trouve drôlement appétissants !

Pakira, Matamata et Baboune s'en vont de leur côté.

Biche et Tatou rentrent chez eux en vitesse. Voilà deux jours qu'ils sont partis.

Ils retrouvent leurs parents morts d'inquiétude. Ils racontent leur histoire et deviennent ainsi la fierté de la jungle !

En attendant, Biche a bien retenu la leçon. Plus jamais elle n'entraînera Tatou dans le royaume de Vampirie. Du moins pas à l'heure des repas...

Dans la même collection

arc-en-ciel
cascade

Aïe, mes cheveux !
Ségolène Valente – Nicolas Julo

Boniface roi de la casse
Paul Thiès – Thierry Christmann

Le cadeau surprise
Chantal Cahour – Jérôme Brasseur

Ça mange quoi, un dragon ?
Yves-Marie Clément – Morgan

Le champion des papas
Stéphane Daniel – Christophe Besse

Un chien sinon rien
Alain Surget – Thierry Nouveau

Gloups chez les cannibales
Paul Thiès – Christophe Besse

Une grosse dispute
Geneviève Senger – Thierry Christmann

Grosse peur dans l'ascenseur
Ségolène Valente – Nicolas Julo

L'homme à la veste à carreaux
Catherine Missonnier – Anne Bozellec

J'adore les anniversaires
Stéphane Daniel – Sophie Kniffke

Ma copine d'amour
Ségolène Valente – Nicolas Julo

Mademoiselle zéro faute
Nathalie Charles – Anne Bozellec

Maxime des neiges
Jean-Marie Mulot – Anne Bozellec

Même pas peur des monstres !
Paul Thiès – Christophe Besse

Mon premier euro de poche
Geneviève Senger – Camille Meyer

Pagaille à la cantine
Amélie Cantin – Thierry Nouveau

Un pique-nique à vélo
Elsa Devernois – Virginie Sanchez

Le pirate qui détestait l'eau
Yves-Marie Clément – Morgan

Plumette une poule
super chouette
Anne-Marie Desplat-Duc – Morgan

Le plus grand roi du monde
Marc Cantin – Thierry Christmann

Un poney au balcon
Marc Cantin – Thierry Nouveau

Princesse Vampirette
Yves-Marie Clément – Morgan

Une sorcière
pas comme les autres
Monique Hion – Anne Bozellec

Superkid
Stéphane Daniel – Philippe Matter

Tonton la Bricole
Christian Grenier – Christophe Besse

Un trésor sur la plage
Michel Girin – Pascal Goudet

Les trois souhaits de Quentin
Évelyne Brisou-Pellen – Thierry Christmann

Une vie de rêve pour Lola
Amélie Cantin – Nicolas Julo

Achevé d'imprimer en France par I. M. E.
Dépôt légal : septembre 2003
N° d'édition : 3888
N° d'impression : 16837